PARIS TENDRESSE

Brassaï

Modiano

Paris Tendresse

Dépôt légal : novembre 1990
ISBN : 2-905292-32-6

Maquette de Massin
Tirages : Atelier Pictorial
Composition : Paris PhotoComposition
Photogravure : Fotimprim
Reliure : Brun

Je n'ai rencontré Brassaï qu'une seule fois, chez un ami, Roger Grenier. Il m'a parlé de la manière dont il prenait ses photos, la nuit, à Paris, dans les années trente. Il lui arrivait de cacher, tant bien que mal, tout son matériel quand il photographiait les mauvais lieux et les mauvais garçons. Ceux-ci avaient fini par l'adopter. Ils n'avaient rien à craindre, Brassaï n'était pas un indic, mais un poète qui, comme Genet, transmettrait très loin dans le temps leurs visages et les lumières noires et blanches de Paris.

Au moment de quitter Brassaï sur le trottoir de la rue du Bac, j'ai voulu lui proposer d'aller ensemble dans les quartiers de la périphérie. Une photographie de lui, accrochée au mur du salon de notre ami, m'en avait donné l'idée : Le Pré-Saint-Gervais. Mais je me suis contenté de lui dire au revoir. J'ai pensé brusquement que Le Pré-Saint-Gervais n'existe plus.

Six heures du matin, le 25 août 1944. Des jeunes gens, debouts sur le lion de Belfort, place Denfert-Rochereau, saluent l'arrivée des chars de Patton et de Leclerc. Cette explosion d'allégresse marque aussi la mort des années trente, comme, quelques mois plus tard, le retour des prisonniers et des rescapés des camps que l'on regroupait sous les lambris de l'hôtel Lutétia.

Prévert l'a bien écrit, Prévert avec sa chemise à rayures et sa cigarette à la main :

> «*Oh Barbara*
> *Quelle connerie la guerre*
> *Qu'es-tu devenue maintenant*
> *Sous cette pluie de fer,*
> *De feu, d'acier, de sang*
> *Et celui qui te serrait dans ses bras,*
> *Amoureusement,*
> *Est-il mort, disparu, ou bien encore vivant ?* »

Oui, comme le disait Prévert, ce n'est plus pareil et tout est abîmé. Le disque s'est enrayé. La guerre a cassé la romance de Paris.

Un agent de police lit son journal, assis sous le lustre, à l'entrée du bal Tabarin, où un écriteau précise qu'« une tenue correcte est de rigueur ». Je voudrais bien savoir, moi, ce que sont devenues deux danseuses de cet établissement qui figuraient toujours dans les revues de Dubout et Sandrini, les directeurs de l'époque. Elles s'appelaient Gysèle Hollerich et Lydia Rogers. Gysèle, mon père l'a vue une dernière fois en août 40, aux Sables-d'Olonne, après qu'il se fut échappé d'une caserne d'Angoulême, cernée par les Allemands. Elle habitait tout près du Tabarin, au 63 de la rue Pigalle, et son numéro de téléphone était Trinité 05-82. Lydia était une blonde, photographiée dans les programmes de Tabarin, nue, au milieu du « bain de mousse ». Elle habitait en 1944 23, rue Raynouard et séjournait souvent à Barbizon, à la villa Baraka, en lisière de la forêt.

J'attends des nouvelles.

MONTBELIARD
EXTRA
Le Kilo = 400
Au Cochon Limousin
ARLES EXTRA
Le Kilo = 780
Toulouse
600
Choucroute nouvelle
de l'Est
le Kilo 70

SEINE
4633-Z-2

tôt ou tard votre tailleur sera
AVENIR PUBLICITÉ
NORMANDIE · OLYMPIA · MOULIN ROUGE
LE CHEF-D'ŒUVRE DU CINÉMA FRANÇAIS
GRAND PRIX
DE LA CRITIQUE INTERNATIONALE
GRAND PRIX
DE L'INTERPRÉTATION MASCULINE
AU FESTIVAL MONDIAL DU FILM À BRUXELLES
MICHELINE PRESLE
GÉRARD PHILIPE
LE DIABLE AU CORPS
RAYMOND RADIGUET
CLAUDE AUTANT LARA
JEAN AURENCHE PIERRE BOST
DENISE GREY
PALAU
JEAN DEBUCOURT
PAUL GRAETZ
FESTIVAL DU FILM
CANNES
12-25 SEPTEMBRE
THÉATRE PIGALLE
MADELEINE
LE SEXE FAIBLE
SAINT-GEORGES

Au casino de Paris, le machiniste s'est endormi, après le passage des seize Lawrence Tiller Girls. Un cycliste à la grosse sacoche de postier et au pantalon-golf contemple le visage démesurément agrandi de Marlene Dietrich, sur le mur. Quelques années plus tard, juste avant la déclaration de guerre, Marlene s'embarquera au Havre pour l'Amérique, comme l'un de ses amis, Erich Maria Remarque, dont je guette la haute silhouette de solitaire et de neurasthénique dans le Paris nocturne de Brassaï. Celui-ci, exilé hongrois, aurait pu être un personnage du roman de Remarque « Arc de triomphe », et, le soir, retrouver le docteur Ravic et Jeanne Madou à la terrasse du Fouquet's ou du Dôme... Si j'en crois Remarque, le printemps était tendre, ces soirs-là, mais à travers cette douceur, on sentait une menace dans l'air. Des écrivains, des musiciens et des metteurs en scène, échappés d'Allemagne ou d'Autriche, se retrouvaient à l'hôtel Ansonia, rue de Saïgon.

Sur la photo, c'est peut-être le 14 juillet 1939 au cours duquel Marlene Dietrich avait dansé avec le légionnaire Renaud Renard. Les parasols sous la lune, les bouteilles d'eau de Seltz, les chaises cannées, les pailles dans les verres et, tout au fond, les couples sur la piste... Cette nuit, Paris ressemble à Juan-les-Pins. Les deux années qui ont précédé la guerre, les jeunes gens et les jeunes filles avaient une fraîcheur, une insouciance, une légèreté estivales :

J'ai ta main
Dans ma main...

Et s'il fallait donner un nom à la jeune fille de 1939, ce serait : Mademoiselle Pam-Pam, un bar des Champs-Elysées à la terrasse duquel on buvait des jus de fruits venus d'Amérique et les premiers Coca-Cola.

Les lampions se sont éteints, les orchestres du 14 juillet 1939 se sont tus. Plus qu'un mois et demi avant la guerre..... Juste le temps d'aller écouter, un soir, dans les jardins des Champs-Elysées, Oscar Karlweis et les chanteurs du Tyrol ; et au « Caprice » de la rue Pigalle, le ténor viennois Otto Fassel. Que de chanteurs et d'orchestres autrichiens à Paris, cet été, quand l'Autriche est rayée de la carte....

Juste le temps de quelques rendez-vous au Pam-Pam avec les filles, pour les emmener voir, en face, au cinéma l'Avenue, les derniers films américains :

Les Hauts de Hurlevent,
Vous ne l'emporterez pas avec vous,
Les Anges aux figures sales,
Le Parfum de la femme traquée,
La Vie d'un autre,
La Baronne de minuit,
La Femme aux cigarettes blondes,
Good Bye, Mr. Chips.

DE MONTSOURIS
LE PETIT ECHO DE LA MODE
DES PATRONS FRANÇAIS

14
15
FRANÇAIS !
RÉVEILLEZ-VOUS !!
LEURS ALLIÉS.
1914
AUX HOMMES
d'Ordre et de Bon Sens
POUR LA
PAIX SOCIALE
LES JEUNESSES PATRIOTES
Il faut

AFFICHAGE
NATIONAL
DUFAYEL
BRILLANT
ÉCLIPSE
POUR CUIVRE

LA MEILLEURE
DES CRÈMES DE GRUYÈRE
LA MEILLEURE
DES CRÈMES DE GRUYÈRE
KIRSCH
D'ALSACE
DOLFI
MARGARINE
AXA
GARANTIE FRAICHE
LE CINÉ
FALGUIÈRE
DRAPS
DRAPS
DRAPS
GRAND ARÔME
GRAND ARÔME
GRAND ARÔME
MEC
COMPAGNIE
STENOTYPIE

Nous avons échoué à l'aube sur les berges de la Seine. Une péniche passe, avec un enfant accoudé à la rambarde. La péniche vient de Belgique. Ma mère aussi. Elle me disait qu'après son arrivée à Paris, les jours où elle éprouvait le mal du pays, elle se réfugiait dans deux cafés, l'un quai d'Austerlitz, l'autre quai des Grands-Augustins, pour entendre les mariniers parler flamand.

Ce n'est plus la chanson légère et fleur bleue de Trenet, aux rythmes du jazz, mais la romance plus âpre et plus sentimentale du début des années trente :

Le doux caboulot
Fleuri sous les branches....
La servante est brune
Que de gens heureux........

Nous monterons à bord de « l'Atalante » et nous irons photographier les bords de la Seine, de la Marne et de l'Oise, les eldorados du dimanche où Paris venait oublier pour quelques heures ses soucis.

Casino de l'Ile-d'Amour,
Lido de Chennevières,
Champigny-Plage,
Petit Ritz,
Au Beach de la Varenne,
là où fleurissaient l'idylle et le crime.

« LA JAVA DE MINUIT »

« Dans une auberge du bord de l'eau, à Villeneuve-le-Roi, deux artistes de caf'conc', Galiardin et Maguy Fred, avaient cru trouver le moyen de gagner leur vie et un refuge pour leur amour. Mais ce fut bientôt l'éternel roman de l'infidélité et de la jalousie qui déchaîna un drame atroce. »

Le bal de la Terrasse. Une clôture étroite le séparait du chemin de halage. Une enseigne en forme d'arc de tonnelle. Une grande salle de danse ornée d'affiches de théâtre. A côté, le pavillon du propriétaire et l'office. Et des reposoirs de feuillage où se cachaient les amoureux. Tel était le domaine qu'avait acheté pour se retirer avec Maguy Fred, la femme qu'il aimait, Antonin Galiardin, connu à l'Empire sous le nom de Galiardin l'Accordéoniste. Maguy Fred, c'était la Maguy Fred de l'Empire aussi, une chanteuse qui interprétait « La Java de minuit ». Il avait quarante-huit ans, elle, à peine trente. Et beaucoup d'admirateurs au bal de la Terrasse. Le drame commença quand Galiardin reçut une première lettre anonyme :

« Ne te fais pas de bile, fantaisiste. Ta souris est avec X.... Elle ne s'en fait pas. Nous l'avons rencontrée avec mon pote. Tes vieilles caissières sont au courant. »

C'était signé Raymond, Dédé, et les potes.

Disputes. De nouveau, des lettres anonymes. Maguy Fred annonce à Galiardin son intention de partir en Egypte pour une longue tournée.

BRAS

ils photos,
rnes
PARI
ERICE PRODUIT DE BEA

COMM. PAOLO SOPRANI & FIGLI
CASTELFIDARDO ITALIA

Galiardin pensa à mourir. Puis à tuer. Le dimanche, le bal de la Terrasse ouvrit comme d'habitude. Maguy chanta « La Java de minuit ».

La Java de minuit
C'est la revanche au plaisir...

Le lendemain, Galiardin tuait Maguy Fred avant de mettre fin à ses jours.

...Et je lui donne un baiser qui finit « la Java de minuit ».

Le comédien Aimos, celui de la « Belle Equipe », habitait les bords de Marne. On n'a jamais pu élucider les circonstances de sa mort — ou de son assassinat— en août 1944, sur une barricade, du côté de la gare du Nord, à l'heure où les jeunes gens fêtaient la Libération, debouts sur le lion de Denfert-Rochereau. Sans doute Aimos n'avait-il plus d'avenir car il en savait beaucoup trop long sur les défuntes années trente....

Le dimanche après-midi de la Pentecôte 1937, une jeune femme, Laetitia Toureaux, monte dans le wagon de première classe à la Porte de Charenton. Le métro s'ébranle. Elle est seule dans le wagon. On la retrouve à la station Porte dorée, toujours seule, morte, un couteau planté dans le cou. Un beau dimanche... Elle revenait de l'Ermitage, un bal sur les bords de la Marne, à Alfort. Elle portait une robe vert réséda. D'ordinaire, elle se vêtait de gris, parfois de mauve.

Sa mort, comme celle d'Aimos, demeure une énigme. Elle avait tenu les vestiaires de deux dancings, l'As de cœur au 24 et 26 rue des Vertus, et le Lotus au Quartier latin.... On disait qu'elle travaillait dans une agence de police privée et qu'elle donnait des renseignements à un commissaire de la Préfecture. Elle ne s'appelait même pas Laetitia mais Yolande. Elle aussi en savait trop long....

Combien de questions sans réponse et de gens qui se sont perdus dans Paris.....Ainsi en 1933, l'assassin d'Oscar Dufrenne, le directeur du Palace, un music-hall du faubourg Montmartre. On avait vu, quelques instants avant le crime, se glisser dans le bureau de Dufrenne un jeune homme en costume de marin. Depuis près de soixante ans, il court toujours.

C'était sans doute le même qui avait assassiné en 1932, dans sa bonbonnière de la rue de Rome, l'écrivain égyptien Alec Scouffi, auteur de deux romans : « Le Poiss' d'or, hôtel meublé », et « Navire à l'ancre ». Si Laetitia Toureaux avait rencontré son assassin sur la piste d'un dancing des bords de Marne, Dufrenne et Scouffi avaient fait probablement la connaissance du leur au bal de Magic-City. Je suis certain que ce jeune homme se trouve fixé pour l'éternité sur l'une des photos qu'a prises Brassaï lors de l'un de ces bals.

Magic-City : attraction de la mi-carême pour les éphèbes poudrés des bars. Gros messieurs sous leurs perruques à la Pompadour. Torses d'Adonis. Travestis aux loups de satin et de velours.

HOTEL DU LION D'OR
3
PLACE
DES GRES

Suivons encore les rues sombres à la recherche de l'abbé Etcheverria, par exemple. Il était venu de San Sebastiãn à Paris, avec des pélerins espagnols, au mois de juillet 1930. Très vite, il avait semé ses compagnons.

Deux jours plus tard, vers deux heures du matin, on avait retrouvé son corps, rue Blottière, du côté de Plaisance, le long de la voie ferrée. Il avait été tué d'une balle de revolver et portait un costume civil : pantalon de flanelle grise, veston de jersey marron, casquette. Des témoins l'avaient vu, la première nuit, errer du côté de Pigalle et de Montmartre, puis, la veille, du côté de Montparnasse, en compagnie de deux jeunes gens et d'une femme.

Aimos, Laetitia Toureaux, Dufrenne, Scouffi, l'abbé Etcheverria : Paris ne dévoile jamais ses mystères.

Que sont devenus l'homme gorille aux yeux bleu clair et son fils?

Aux alentours de Noël, sur le terre-plein du boulevard de Clichy, entre la place Blanche et la place Pigalle, des baraques foraines proposaient leurs attractions. L'avant-guerre jetait ses derniers feux. J'ai connu Wanda la petite saltimbanque et les « séances pour adultes à partir de seize ans ». On entrait dans la baraque, on restait debout dans l'obscurité en attendant que l'estrade s'illumine. L'une des trois femmes masquées, avant son numéro, buvait un apéritif, le soir, dans le café au coin du boulevard et de la rue Coustou.

Je consulte mon agenda pour retrouver les noms d'anciens amis :

Djorye Bruss, la belle Finlandaise.

Les Bréato « deux drôles de loustics » 130, rue Oberkampf (11ᵉ).

Albert et Jean-Jacques.

Renalda la Mystérieuse.

Le docteur Boldos. Music-hall. Galas.

Miss Amourette et Dupré, acrobates, 28, rue du Pressoir (20ᵉ).

Ma-Tchang-Yon.

Le fakir Ben Hilaine.

Les Clochards mélodieux,19, rue d'Aumale.

Maguy et Serge, 35bis, rue de la Chine.

Harold le Coupeur de tête et l'homme fusillé par les spectateurs.

Eloignons-nous du boulevard sur lequel tombent les premières neiges de l'hiver 1938 et marchons jusqu'à la porte de Clignancourt.

Au début de l'avenue qui mène au marché aux Puces, s'élevait la caserne des troupes coloniales. La silhouette du photographe ambulant avec son feutre m'a évoqué cet endroit-là. J'ai reconnu cet homme.

A partir de juillet, il officiait sur les planches de Deauville, à la hauteur du bar du Soleil. Derrière son énorme appareil à soufflet, il photographiait les riches et illustres estivants...Puis, en septembre, commençait pour lui la morte-saison. Il devait quitter Deauville et ses fastes, dont il était le mémorialiste, et rejoindre son quartier de la porte de Clignancourt. Il se postait, le samedi et le dimanche, sur l'avenue, près de la caserne, et guettait les passants qui voudraient bien se faire « tirer le portrait ». Vers 1955 et 1956, chaque fois que ma mère m'emmenait

au marché aux Puces, nous croisions ce photographe. Il se tenait au milieu du trottoir, le visage de plus en plus rouge et de plus en plus grumeleux, le costume de plus en plus élimé. Il y avait un trou à l'une de ses chaussures. Son unique costume décent et sa seule paire de chaussures intacte, c'était pour Deauville, en été.

Souvenez-vous.....Il fallait se débrouiller, à Paris, dans les années trente. On se trouvait sans cesse sur la corde raide. Quelquefois, comme disait mon père, « on était chocolat ». Et les déclarations de faillites se succédaient :

Jean Rovers, couture, 233, rue du Faubourg-Saint-Honoré.

Modern Etude, garage, 36, rue Boinod.

Société Vanille, ayant eu pour objet la vente de cuirs et peaux.

Dame Muktoff, née Ludmilla Mickochew, pension et location de chevaux au Touquet et à Paris.

Société anonyme le Château de Madrid.

Liquidations judiciaires :

Banque Birabert et Cie, 2, rue du Caire.

Georges-Louis Houille, ayant exploité le théâtre Pigalle.

Etienne Réon, ayant exploité avec le sieur Albert-Joseph-Louis Dussouf s'étant fait appeler Trillet, et actuellement détenu à la prison de la Santé, le commerce de change et de vente de billets de loterie, sous la dénomination « Caisse de valeurs à lots », 45, boulevard Sébastopol.

Dame Eugénie Lefet, appareils de TSF, phonos et fleurs à Saint-Maur.

Depuis quelque temps, ça va un peu mieux. Plus d'opérations bancaires ni de « caisses de valeurs à lots ». Plus de châteaux en Espagne. On exerce modestement, aux portes de Paris, le métier de dresseur de chats. Un tréteau et deux escabeaux. Ca marche... Les spectateurs sont nombreux. Et l'on évite surtout les portes d'Auteuil et de Vincennes, près des champs de courses. Fini, les courses. Bien sûr, l'homme au chapeau haut de forme avec sa moustache blanche, son cigare et son nœud papillon peut se permettre, lui, de fréquenter Longchamp : un baron du turf et de la finance. Mais nous .....Voici le tour de passe-passe que des gens comme nous ont manigancé pour capter la chance. C'était le 16 août 1934, à Enghien, dans le Prix du Palais-Bourbon. Un certain Hallencourt a gagné la course. Personne ne connaissait ce trotteur. Il s'appelait en réalité Ecureuil IV. On avait fait courir Ecureuil IV, un champion, en se servant des papiers d'un obscur demi-sang, Hallencourt, qui végétait dans une écurie d'Antibes. Le jockey du faux Hallencourt portait une casaque aux couleurs rouge et grise, inconnues des habitués d'Enghien. Les vainqueurs, dans le prix du Palais-Bourbon, ont été, ce jour-là, un cheval fantôme et un jockey fantôme. Et ceux qui ont monté la supercherie, et qui avaient misé à 33 contre 1 sur le faux Hallencourt, ont raflé 300 000 francs. Quel était le cerveau de la machination ? Alex Villaplana, l'ancien international de football. Le plus drôle, c'est qu'ils avaient comme complice un jeune lad, un certain Henri, qui avait

TELEPHONE

travaillé dans les écuries de Dorn y de Alsua, le diplomate sud-américain qui servait de paravent à Stavisky....

Grands et petits escrocs des années trente....Les ombres d'Arsène Lupin, de Chéri-Bibi et de Fantômas flottent encore dans Paris où l'on respire un mélange trouble de mystère et de sentimentalité. Un chat se reflète sur la vitre de la cabine téléphonique. Avec ses yeux qui brillent dans le noir et son immobilité de sphinx, il veille sur les secrets des conversations chuchotées, des rendez-vous, des appels qui s'entrecroisent comme des signaux de morse. Monsieur, 38 ans, distingué, peu libre, désire rencontrer pour affection durable jeune femme, même cas, bien faite, 35 ans maximum, désintéressée.... Imaginative, parfois hautaine, quel gentleman aisé accepterait les caprices d'une jeune femme au physique agréable dans son confortable intérieur? Ecrire : Mauricette, au « Sans-Gêne »....Trois jeunes coloniaux isolés dans le bled désireraient entrer en relation avec trois jeunes filles à seule fin de leur chasser le cafard.... Jolie, potelée, brune, mais passagèrement gênée, pouvant recevoir chez moi, j'accorderais aventure sans lendemain à monsieur aisé. Liliane..... Rêveuse, artiste, une jeune femme brune, jolie, ferait revivre à monsieur généreux les souvenirs de son enfance dans un intérieur discret et confortable. Nadine....jeune et jolie femme, serait reconnaissante à ami aisé pouvant la débarrasser de quelques soucis matériels. Myrtille... une très belle Arlésienne au charme et à l'élégance subtils désire mariage homme du monde. Ecrire Arlésienne P.P. 11, rue Sauval.

Comte, 25 ans, bien sous tous rapports, épouserait jeune fille sérieuse dot 800 000.

Jeune homme trentaine, belle situation, grand, brun, chic, ayant auto luxe....

Il existait des postes privées où l'on s'envoyait des lettres en secret. Madge, 11, rue du Havre. Reçoit et réexpédie toutes vos lettres. Mission partout. Europe 42-82. Poste privé Star, Paris. Recevra et réexpédiera tout votre courrier.

J'ai découvert un jour, dans une chambre mansardée de la rue de Châteaudun, deux boîtes à chaussures qui contenaient quelques-unes de ces correspondances clandestines. Les lettres n'avaient jamais été transmises à leurs destinataires et attendaient là, depuis plus de cinquante ans. Voici donc des morceaux de vie, pétrifiés dans le temps.

Le 12 juillet 1937.

Mon chéri,

Je ne sais pas le numéro exact de la rue de Maubeuge.... Mais tu verras....Il y a d'abord le Comptoir des fantaisies de l'électricité. Et puis, le magasin « La Voix magique »... Ensuite, l'hôtel Métropol... Je t'attendrai un peu plus loin, à sept heures, devant la Grande Teinturerie du Nord.

Arlette

Vin Blanc
de Chavignol Extra
le Gd Verre 1f 25
Vin Blanc Nouveau
Aligoté Extra
RHUM

WOND
RANCO GUGLIELMO
JEAN MARQUIS
VERCELLI

3
4
DÉFENSE DE PRENDRE
E L'EAU

Bruxelles, le 4 juillet 1935.

Monsieur,

J'ai longuement réfléchi à la manière dont j'organiserai ma vie quand je vous reverrai à Paris. Il sera nécessaire que je travaille car je suppose que ma famille ne m'aidera en aucune sorte et continuera à me méconnaître, vu le scandale.

Je voudrais rentrer chez un grand couturier. On peut arriver à obtenir de 2 000 à 3 500 francs par mois, comme vendeuse. Mais il faut connaître une langue étrangère. Je parle l'anglais et l'allemand d'une manière très rudimentaire. Aussi, cet après-midi, j'ai demandé à ma grand-mère de m'apporter des livres de grammaire allemande et française. Comme il s'agit de mon avenir et surtout de notre bien-être, je trouverai certainement le courage nécessaire... Il est évident que ce que je gagnerai sera très peu pour une vie mondaine. Mais comme mes goûts sont modestes, ce sera suffisant. Je voudrais tant être près de vous.

Malou

Bruxelles, le 18 juillet 1935.

Monsieur,

Je n'ai pas de nouvelles de vous. Je ne veux pas que vous puissiez croire que j'attends quelque chose de vous. J'ai toujours été très indépendante.

Figurez-vous que maman avait comme amie intime une dame du high life. Cette personne était la belle-mère du ministre du Chili à Bruxelles, et nous connaissions bien toute cette famille.

Vous savez que, tous les ans, il y a un bal à la Cour et que par l'intermédiaire des ambassades on peut obtenir des invitations. Toujours est-il que, pendant l'hiver de 1928, nous avions obtenu à la grande satisfaction de maman, qui était heureuse à l'idée que je serais présentée à la reine, avec plusieurs autres jeunes filles, une convocation.

Eh bien, il n'y a rien eu à faire pour me décider d'aller à ce bal, et cela parce qu'il fallait faire une grande révérence devant tout le monde.

Malou

Le 4 mars 1935.

Paul, je suis encore au château des Ombrages, à t'attendre..... téléphone-moi. Le numéro c'est 1.20 à Marly-le-Roi.

Simone

le 6 juin 1934.

Madame,

Comme convenu, je vous écris. Je suis le jeune homme blond au complet gris clair du thé du Claridge. Je suis disponible tous les mardis après-midi entre 3 et 8 heures. Dans l'attente de recevoir une réponse à la présente, je vous envoie mes compliments.

R. Fly

Spectacle inédit visible
pour Adultes seulement
Séance
pour les
ADULTES
à partir de 16 ans
DANSES
et les CHANTS
la JUNGLE
Présentés par une

Spectacle
les personnes

14 novembre 1935.

Roger,

Ne crains rien. Coateval est un employé à la Compagnie des Wagons-Lits (ligne Paris-Sofia). On peut lui faire confiance.

Il m'a expliqué que lorsque les trains arrivent à la gare de Lyon, ils sont dirigés à Villeneuve-Prairie.

L'hôtel de la rue Traversière est fréquenté par des employés des Wagons-Lits. C'est là où l'on pourra trouver la marchandise. Coateval y apporte souvent des paquets. J'ai réservé pour nous la chambre 12. Si tu gardes ton sang-froid, ça marchera comme sur des roulettes.

Jean

Le 19 novembre 1935.

Jean,

N'ayant pas de nouvelles de toi, je t'écris ce mot. Tu pourras dire ce que tu veux, je n'ai pas confiance dans Coateval et dans ses histoires de Wagons-Lits à la noix.

Je l'ai vu l'autre soir dans une drôle de compagnie. C'était des gens de la bande de Marini. Moi je préfère les femmes du Mexicain, si tu vois ce que je veux dire ... J'aime mieux prendre un appartement à nous cinq dans un coin tranquille. J'en ai repéré un, aux Ternes.

Roger

Le 24 mai 1937.

Madame,

L'emploi du temps de votre mari pour le 23 mai 1937 a été le suivant :

— après être sorti de votre domicile vers quinze heures, il a pris un taxi et s'est fait déposer à Montmartre, 4, impasse Marie-Blanche, au bar « La Bohème mondaine » (Montmartre 49-46). Il a consommé seul. Puis il a marché jusqu'au 19, rue de la Charbonnière, où, de nouveau, il a consommé seul au bar Mafféo (Montmartre 88-98). Ensuite, toujours à pied, il s'est rendu au Palais du Chien 40 bis, rue de Douai (Tri 28-74) où il est resté un long moment. Il a pris le métro et a rejoint son bureau du « Belge Cinéma », 1, rue Lord-Byron, qu'il a quitté vers six heures du soir. Il a descendu les Champs-Elysées et, à la hauteur des Arcades du Lido, mon collègue et moi nous l'avons perdu de vue dans la foule.

Berthois

Le 25 mai 1937.

Madame,

L'emploi du temps de votre mari pour le 24 mai 1937 a été le suivant :

— après être sorti de votre domicile vers quinze heure, il a pris un taxi et s'est fait déposé directement au Palais du chien, 40 bis, rue de Douai (Tri-28-74). Il y est resté jusqu'à sept heures, heure de fermeture.

Puis il a rejoint à pied les grands boulevards et mon collègue et moi nous l'avons perdu de vue à la hauteur du cinéma Aubert-Palace où l'on donnait « Maria de la nuit ».

Berthois

Le 11 juin 1934.

Cher Monsieur,

Je suis étonnée de ne pas avoir encore reçu de lettre de vous. Il m'avait pourtant semblé quand nous nous sommes croisés au thé du Claridge et que nous avions échangé quelques mots, que nous étions vous et moi, dans un état de sympathie mutuelle.

Mais peut-être ai-je été trop présomptueuse. Vous êtes un jeune homme qui devez connaître autour de vous des attachements et des succès multiples.

Un mot de vous me rassurerait. Je n'ose espérer une visite, mais s'il vous prend la fantaisie de passer quelques moments en compagnie d'une femme qui sait encore dispenser la tendresse, vous pouvez me trouver, chaque jour, en fin d'après-midi, 10, rue Quentin-Bauchart. Je ne compte retourner à Nice qu'au début d'octobre.

Germaine d'Arvel

A chaque époque, on perçoit les derniers échos de l'époque précédente. Cette lettre est celle d'une cocotte de 1900 dans son âge mûr. Le nom : Germaine d'Arvel, orné de la particule de fantaisie, sonne tellement suranné à l'heure du Bal Nègre de la rue Blomet, des orchestres de Jack Hylton et des Lecuona Cuban Boys... Ces courtisanes, ces anciennes biches des chasses de 1900, ne voulaient pas se résoudre à vieillir. Et souvent la partie finissait mal pour elles. Le demi-monde où elles avaient régné était enseveli depuis longtemps sous les camélias fanés. Les mœurs avaient changé. Elles ne pouvaient plus suivre le mouvement.

Ainsi cette autre Germaine, qui se faisait appeler d'Anglemont. En mars 1933, elle tue à coups de revolver son dernier ami, le préfet des Bouches-du-Rhône, qui la retrouvait dans un pied-à-terre de l'avenue du Parc-Monceau. Elle était jalouse. Elle n'avait plus confiance en elle. Elle s'était adressée à une agence de police privée pour connaître les moindres gestes de son ami. Le jour du drame, elle avait reçu un coup de téléphone du détective chargé de la filature :

- Votre ami va rentrer. Il sort des magasins du « Printemps »... Mais nous n'avons pas pu le suivre continuellement à travers tous les rayons et nous l'avons perdu de vue ...

Elle l'attendait dans l'appartement, après avoir chargé l'un de ces élégants revolvers de « dame » qui reposent dans des étuis de daim gris. Elle n'avait que quarante-cinq ans, et, par ce geste, elle allait mettre fin à sa « carrière ». En somme, elle avait été marquée trop jeune par le monde d'avant 14 pour n'être pas devenue un vivant archaïsme dans celui des années trente. Née Germaine-Yvonne Huot en 1888, de père inconnu. Confiée à une maternité religieuse du Pecq. Elevée par les sœurs jusqu'à treize ans. Puis livrée à elle-même dans le quartier des Gravilliers. A dix-sept ans, elle loue une chambre rue des Archives, au dernier étage d'un hôtel borgne. Elle adorait les romans. Son écrivain préféré : Pierre Decourcelle, l'auteur des « Deux Gosses » et de « La Buveuse de larmes ». Elle fait sa connaissance. C'est lui qui la baptise Germaine d'Anglemont. Dès 1908, Mademoiselle d'Anglemont traîne sa noblesse d'alcôve dans les restaurants de nuit de Montmartre. Un

PAUL BORDE

LES TROIS GRACES

Une Tenue
Correcte
est de Rigueur

NON
RÉFÉRENDUM
au PLÉBISC

PAPA
P S
PB

MAX
10.3.41
JS
GS

soir, au « Jardin de Paris », un richissime Hollandais, Van Hooschoot, fut séduit par sa grâce. Cette nuit-là, pour la dernière fois — comme il est écrit dans les romans de Pierre Decourcelle — Yvonne-Germaine Huot dite d'Anglemont s'endormit « fille et pauvre » et se réveilla « fille » du monde. Bientôt, elle renvoie Van Hooschoot, et s'installe avec un autre ami dans un hôtel particulier rue Juliette-Lamber. Le roi Louis de Bavière lui déclare sa flamme, comme jadis son parent à Lola Montès. Mais elle le trompe avec des barons allemands et des comtes polonais dont l'un lui abandonne près de 10 millions en deux ans. Elle achète un hôtel particulier, 103, rue de la Faisanderie. C'est la guerre. Elle devient châtelaine de Mont-Fleuri, entre Bougival et la Celle-Saint-Cloud. Puis, à partir des années vingt, elle se sent vieillir. On ne se montre plus aussi entreprenant autour d'elle. Elle se réfugie dans un pied-à-terre avenue du Parc-Monceau, là où son destin va basculer ...

Certaines personnes restent prisonnières d'une seule période de leur existence où elles ont connu leur apogée. Au cours des années soixante, nous avons pu croiser encore quelques naufragés des années trente. Ils continuaient de vivre dans un monde qui n'était plus le leur. Mais aussi chaque époque cultive ses nostalgies et se penche souvent sur celle qui l'a précédée comme sur un paradis perdu. Nous rêvons au Paris des années trente, grâce aux images qu'un photographe nous a transmises.

Le halo des réverbères projette l'ombre des arbres sur le mur de la prison de la Santé. L'éclairage des fenêtres aux façades des hôtels et celui des vitres du métro. Les colonnes Morris, où l'on distingue une affiche de Mistinguett, et les vespasiennes où se détache le mot : Byrrh, sont comme de grandes lanternes. Et toutes ces sources de lumière nous font deviner dans l'ombre les piliers du métro aérien, les voies ferrées du pont de l'Europe et des amoureux qui s'embrassent à l'abri d'une porte cochère. La neige tombe sur les roulottes du boulevard Arago. Un bouquet de pivoines sur le rebord d'une fenêtre. Derrière des échafaudages, le bébé du cirage Eclipse nous sourit. Quatre agents en pèlerine — de ceux qu'on appelait les hirondelles — attendent devant la porte du « Chat qui pelote ». J'espère que Bob et Cricri Fourmi n'ont pas fait de bêtises.

Des souliers sont rangés à la devanture d'une échoppe, à côté d'une motocyclette. La photo exhale une odeur de cuir et d'essence qui m'évoque les garages d'autrefois. Parfum de cuir à l'intérieur des automobiles de mon enfance. Fraîcheur des grands garages où l'écho des voix se perdait. L'accordéoniste aux lunettes noires et à la barbe blanche, il me semble l'avoir vu sur un banc du pont des Arts vers 1953, les jeudis où je traversais la Seine pour aller jouer dans la cour du Louvre et dans les deux petits squares du Carrousel. Et les enfants qui regardent à travers les fentes de la palissade, c'était nous. Leurs vêtements et leur coupe de cheveux sont-ils si différents de ceux des enfants du début des années cinquante ? J'ai connu le passage du quai de Conti, ses deux arches, ses murs noirs et leur odeur d'humidité et d'urine.

Sur la banquette d'un café, un homme a rapproché son visage de celui d'une femme qui sourit. Il va l'embrasser et leurs deux visages se

L'ANE

reflètent dans les glaces. J'ai cru reconnaître mon père, à cause des cheveux noirs plaqués en arrière et brillantinés. Mais ils étaient nombreux, en 1938, les grands bruns au physique de danseurs argentins qui donnaient leurs rendez-vous aux terrasses des Champs-Elysées. Puis ils allaient dîner chez Cotti, avenue de Wagram, à la table voisine de celle où Spirito et ses amis corses échangeaient leurs tuyaux pour les courses du lendemain.

Certaines de ces photos nous ramènent à la lisière de notre mémoire et réveillent les images et les odeurs de l'enfance. Elles nous entraînent aussi vers les quartiers de la périphérie. On les a quittés un jour, pour faire carrière dans le centre. Le garçon que l'on voit, dans l'ombre d'un mur, parmi des gravats, dessine à la sauvette un graffiti. Beaucoup plus tard, s'il revient sur les mêmes lieux, il ne retrouvera rien. Ni les murs. Ni son graffiti. Je l'observe, encore plus attentivement : il a douze, treize ans, bientôt il quittera pour toujours le quartier où il est né. Il va partir à l'aventure sur un navire de la Royale, ou vers Sidi-Bel-Abbès, ou tout simplement sur une scène de music-hall, comme Piaf et Chevalier.

Ce n'est pas un hasard, s'il existe, là-haut, entre Ménilmontant et les Buttes-Chaumont, une rue des Partants.

Et le chien de Charonne ? Il se tient devant l'hôtel du Lion d'or, les oreilles dressées, le museau attentif. La photo a été prise de telle façon que j'ai l'impression d'être à bord d'un bateau qui s'éloigne du rivage. L'hôtel du Lion d'or et ses persiennes, la place des Grès et ses pavés, le chien noir et blanc disparaîtront au lointain. Leur image se fixera dans ma mémoire. Il y aura la guerre, les années cinquante, soixante, soixante dix, quatre-vingt... Et le chien, immobile, les oreilles dressées, restera à m'attendre dans ce quartier qui n'existe plus. On dirait qu'il me demande si les cinquante dernières années qui m'ont séparé de lui valaient la peine d'être vécues. Je ne sais pas quoi lui répondre. Tu viens, mon vieux ? Pardonne-moi si j'ai oublié ton nom.

Table des illustrations

L'exposition « Paris Tendresse » présentée à la FNAC
en 1988 lors du mois de la photo à Paris,
a remporté le Grand prix du public

Bibliographie

Livres par Brassaï

1932
Paris de nuit
Texte de Paul Morand. Paris, Arts et Métiers Graphiques. (réédition Flammarion, 1987). 65 photographies de Brassaï.

1934
Voluptés de Paris
Paris, Paris-Publications. 46 photographies.
(NB : Brassaï ne faisait pas figurer ce livre dans la liste de ses œuvres, le choix du titre « racoleur » et du texte fut décidé par l'éditeur contre l'accord de Brassaï)

1946
Trente Dessins
Poème de Jacques Prévert. Paris, Pierre Tisné/Rombaldi. Dessins de Brassaï.

1949
Camera in Paris
Introduction de Brassaï. Londres, The Focal Press. 62 photographies de Brassaï.

Histoire de Marie
Introduction de Henry Miller. Paris, Le Point du Jour. Une eau-forte de Brassaï.

Les Sculptures de Picasso
Texte de D.H. Kahnweiter. Paris, Le Chêne. 207 photographies de Brassaï.

1952
Brassaï
« L'Œil de Paris », introduction de H. Miller. « Souvenirs de Paris » et Notes par Brassaï. Paris, Éditions Neuf. 47 photos, 8 dessins et 8 sculptures.

1954
Séville en fête
Préface de Henri de Montherlant. Texte de D. Aubier. Notes par Brassaï. Paris, Éditions Neuf. 75 photographies de Brassaï.

1960
Graffiti
Texte de Brassaï. Stuttgart, Belser Verlag (éd. allemande). Éditions du Temps (éd. française en 1961). 105 photographies de Brassaï.

1964
Conversations avec Picasso
Texte de Brassaï. Paris, Gallimard (réédition en 1987). 53 photographies de Brassaï.

1967
Transmutations
Portfolio et texte de Brassaï. Galerie Lacoste, Les Contards (Vaucluse). 12 gravures de Brassaï.

1973
Brassaï
Textes de A.D. Colleman et de Brassaï. New York, Wikin-Berley. 10 épreuves originales de Brassaï (portfolio).

1975
Henry Miller Grandeur nature
Texte de Brassaï. Paris, Gallimard. 15 photographies de Brassaï.

1976
Le Paris secret des années 30
Texte de Brassaï. Paris, Gallimard. Trad. Angleterre, États-Unis et Japon. 124 photographies de Brassaï.

1977
Paroles en l'air
Texte de Brassaï. Paris, J.-C. Simoen.

1978
Henry Miller Rocher heureux
Texte de Brassaï. Paris, Gallimard. 5 photographies de Brassaï.

1980
Elöhivas, Levelek (1920-1940)
Lettres de Brassaï à ses parents en langue hongroise. Bucarest, Kriterion Könyvkiado. Illustrations.

1982
Les Artistes de ma vie
Texte de Brassaï. New York, Viking Press. Paris, Denoël. 132 photographies de Brassaï.

Catalogues sur Brassaï

1986
Catalogue, Picasso vu par Brassaï Paris, RMN.

1987
Brassaï
Monographie, Paris, CNP, collection « Photographe », n° 28. 63 photographies (trad. aux États-Unis).

1988
Catalogue, « Brassaï, Paris le jour, Paris la nuit ». Paris, Musée Carnavalet, Paris audiovisuel, Paris Musées.

Achevé d'imprimer en août 1996 sur les presses de Aubin Imprimeur, Poitiers-Ligugé (P 51970)